Directora de la colección:
Mª José Gómez-Navarro

Coordinación editorial:
Lupe Rodríguez Santizo

Tercera edición: mayo 2008

Traducción: Miriam Lozano

Título original: "Kaatje en haar broertje"
Publicado por primera vez en Bélgica por Clavis
© Editorial Clavis, Amsterdam-Hasselt, 2004
© De esta edición: Editorial Luis Vives, 2004
Carretera de Madrid, km. 315,700 50012 Zaragoza

LAURA
TIENE UN HERMANITO

Liesbet Slegers

❖ EDELVIVES

YO SOY LAURA.
ESTE ES DANI,
MI HERMANO
PEQUEÑO.

DANI HUELE MAL.
SE HA HECHO CACA.
¡UF, QUÉ PESTE!
MAMÁ LE CAMBIA
EL PAÑAL.

MI HERMANO LLORA
MUY FUERTE.
—¡NO LLORES, DANI!
VAS A COMER
ENSEGUIDA.

MAMÁ LE DA
EL BIBERÓN A DANI.
AHORA NO PUEDE
PINTAR CONMIGO.

PAPÁ COGE EN BRAZOS A DANI. ÉL TAMPOCO TIENE TIEMPO PARA JUGAR.

VOY A MI CUARTO
CON MIS JUGUETES.
YA NO ME GUSTA
NADA MI HERMANO.

YO TAMBIÉN TENGO
UN BEBÉ PEQUEÑO.
Y LE DOY EL
BIBERÓN PARA
QUE NO LLORE.

VUELVO AL SALÓN.
—¿PUEDO COGER
A DANI? —PREGUNTO.
Y PAPÁ LO SIENTA
EN MIS RODILLAS.

POR LA NOCHE,
DANI Y YO
JUGAMOS JUNTOS
EN LA BAÑERA.

EL DOMINGO, SALGO DE PASEO CON DANI Y CON PAPÁ.

—¡ADIÓS, MAMÁ!

AL VOLVER, MAMÁ
ACUESTA A DANI
EN SU CUNITA.
YO LA AYUDO.

MI HERMANO ESTÁ DORMIDO. AHORA MAMÁ Y PAPÁ PUEDEN LEER Y JUGAR CONMIGO.

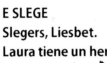

E SLEGE   HTUTP
Slegers, Liesbet.
Laura tiene un hermanito /

TUTTLE
09/12